Agnieszka Stelmaszyk

Upiorne andrzejki

DISCARD

Ilustracje: Anita S̶i̶m̶i̶

ZIELONA SOWA

Tekst © Agnieszka Stelmaszyk

Konsultacja metodyczna, opracowanie słowniczka i zadań: Małgorzata Korchowiec

Ilustracje: Anita Siwiec

Projekt graficzny okładki: Marianna Schoett

Redaktor prowadzący: Monika Koch

Korekta: Jadwiga Przeczek

Skład i łamanie: Bernard Ptaszyński

ISBN 978-83-7983-845-5

Wydawnictwo Zielona Sowa Sp. z o.o.
00-807 Warszawa, Al. Jerozolimskie 96
tel. 22 576 25 50, fax 22 576 25 51
wydawnictwo@zielonasowa.pl
www.zielonasowa.pl

* Gwiazdka w tekście to znak,
że właśnie trafiłeś na trudniejsze słowo –
jego objaśnienie znajdziesz
w słowniczku na końcu książki.

Spis treści

Maślane oczy 5

Wróżba dla odważnych 9

Chichocząca Chata 13

Szczęściu trzeba pomóc 19

Złe wiedźmy 25

Tresowane dziki 28

Pogromca upiorów 33

Fiksum dyrdum 38

Słowniczek młodego czytelnika 46

Zadania 47

Maślane oczy

Mieszkamy na wsi, dlatego nasza szkoła jest mała, ale za to bardzo fajna. Niedawno mieliśmy w klasie andrzejki. Razem z panią przygotowaliśmy wcześniej mnóstwo wróżb andrzejkowych. Ja najbardziej lubię lanie wosku przez ucho klucza. Pani opowiadała nam też o innych wróżbach. Na przykład o tym, jak kiedyś niezamężne panny zaglądały do studni, żeby poznać przyszłego męża. Ale dzisiaj w naszej wsi mało kto ma studnię. Nie mogę więc do niej zajrzeć.

– Lilka, jak myślisz – zagadnęłam moją koleżankę – skoro nie mam studni, to czy mogę zajrzeć do kranu? Albo do umywalki?

Lilka zastanowiła się przez chwilę. Ale nie zdążyła odpowiedzieć, bo wtrącił się Adrian, który usłyszał naszą rozmowę i wrzasnął na całą klasę:

– Zajrzyj do miski z wodą! Może tam zobaczysz ukochanego!

I wszyscy zaczęli się śmiać.

– Ha, ha, bardzo śmieszne! – burknęłam i pokazałam mu język.

Chłopcy w naszym wieku są okropni i zupełnie nie znają się na miłości. Dlatego mnie i Lilce najczęściej podobają się chłopcy ze starszych klas. Teraz na przykład Lilka zakochała się w Jurku z IVb. Chociaż zupełnie nie wiem, co w nim widzi. Mogła lepiej wybrać. Zawsze, gdy Jurek jest w pobliżu, Lilka robi do niego maślane oczy*. On nie robi nawet śmietankowych! Po prostu wcale jej nie zauważa!

Wróżba
dla odważnych

Ja aktualnie nie jestem w nikim zak
chana. Jednak chętnie poznałabym in
przyszłego męża. Przynajmniej byłab
przygotowana. Tylko co zrobić, jeśli
mam studni? – zastanawiałam się. I wt
pani Wiesia powiedziała bardzo cieka
rzecz:

– Był jeszcze jeden sposób, by poz
imię przyszłego męża... – zaczęła,

czujnie nadstawiłam ucha. – Ale była to wróżba tylko dla najodważniejszych dziewcząt… – uprzedziła.

– To coś w sam raz dla nas! – Szturchnęłam Lilkę, żeby też uważnie słuchała. – Przecież jesteśmy odważne!

– Uhm – mruknęła Lilka.

Tymczasem pani Wiesia mówiła dalej:

– Nocą trzeba było stanąć na rozstaju dróg i czekać tak długo, aż przejdzie tamtędy młodzieniec. Wtedy należało zapytać go o imię. Takie samo imię będzie nosił przyszły mąż – zakończyła pani. – A teraz dosyć tych wróżb, czas na tańce! – zawołała wesoło i rozległa się głośna muzyka.

Dziewczyny dobrały się w pary i zaczęły tańczyć. Żaden chłopak nie chciał nas poprosić do tańca. Bo oni są jeszcze strasznie

niedojrzali! Siedzieli pod ścianą, wygłupiali się, śmiali i ciągle kuksali się* pięściami. To taka ich zabawa.

Mnie przez cały czas nie dawała spokoju ta wróżba dla odważnych...

Chichocząca Chata

– Lilka, a może pójdziemy po zabawie na skrzyżowanie za wsią i dowiemy się, jak będą mieli na imię nasi mężowie? – zaproponowałam.

Lilka przestała tańczyć i stanęła jak wryta.

– Ewelina, chyba żartujesz? – powiedziała, uważnie patrząc mi w oczy.

– Wcale nie! – Pokręciłam przecząco głową.

– Chyba brak ci piątej klepki*! – wykrzyknęła Lilka, gdy się zorientowała, że nie żartuję. – Przecież trzeba przejść przez las! Nocą! I przecież tam jest Chichocząca Chata! – wyliczała.

– No tak, całkiem zapomniałam o tej chacie! – jęknęłam.

Przypomniałam sobie, jak we wsi mówiono, że mieszkają w niej wiedźmy! Odwaga trochę mnie opuściła. Ale czego się nie robi dla miłości?! – pomyślałam.

Gdy tak się zastanawiałam, iść czy nie iść, znowu wtrącił się Adrian, który ma chyba gumowe ucho i ciągle podsłuchuje nasze rozmowy.

– Co, Ewelina, strach cię obleciał? Już nie jesteś taka odważna? Już nie chcesz iść na rozstaje dróg? – piędził. – Pewnie, bo to wróżba tylko dla odważnych! Ewelina się boi! Ewelina bojący dudek! Ewelina strachlina! – naśmiewał się ze mnie.

Zakipiałam ze złości. Czemu on się tak do mnie przyczepił, jak rzep do psiego ogona?!

– Wcale się nie boję! – odparowałam. – Pójdziemy z Lilką i wszystkiego się dowiemy! – oświadczyłam z godnością.

– Ewelina, tobie naprawdę rozum odjęło – szepnęła mi Lilka na ucho przerażonym głosem.

– A chcesz się dowiedzieć, czy Jurek będzie twoim mężem? – zapytałam.

Lilka zamyśliła się na moment, a potem powiedziała z rumieńcami na policzkach:

– Pewnie, że chcę.

– No to postanowione! – rzekłam zdecydowanym tonem. – Idziemy!

Szczęściu trzeba pomóc

Gdy zabawa andrzejkowa się skończyła, wszyscy rozeszli się do domów. Wszyscy prócz Lilki i mnie.

Było już całkiem ciemno, kiedy szłyśmy przez las w kierunku skrzyżowania. Na niebie świecił wąziutki rogalik księżyca i zbytnio nie dodawał nam otuchy. Lubię nasz las. Lecz za dnia. Teraz było trochę strasznie. Liście już dawno opadły z drzew i szurały pod stopami. Szłyśmy z Lilką przytulone do siebie i wciąż lękliwie oglądałyśmy się na wszystkie strony.

– Wiesz co, jeszcze trochę, a w ogóle odechce mi się wychodzić za mąż! – jęknęła Lilka żałośnie.

– Trzeba się trochę poświęcić dla miłości! – powiedziałam mądrze, całkiem jak dorosła. – Moja babcia zawsze mówi, że szczęściu należy pomagać, bo samo nie przyjdzie. No to my teraz właśnie pomagamy naszemu przyszłemu szczęściu – przemawiałam Lilce do rozsądku.

– A ono nie może sobie samo pomóc? – Lilka spojrzała na mnie z nadzieją.

– No wiesz, nikt nie mówił, że będzie łatwo! – powiedziałam trzeźwo.

Lilka westchnęła ciężko, jakby przygniótł ją stutonowy głaz.

Nagle usłyszałyśmy trzask łamanej gałązki, a potem zduszony chichot!

– Co to było? – zapytała Lilka i ze strachu prawie wskoczyła mi na ręce.

– Może to tylko sarna... – wyjąkałam i bardzo chciałam w to wierzyć!

– Myślisz, że sarny chichoczą?! – Lilka powątpiewała.

– A kto je tam wie! Może chichoczą, może połaskotała je trawka i to je rozśmieszyło – próbowałam szybko coś wymyślić, żebym nie zaczęła się strasznie bać.

– To nie sarna – szepnęła Lilka zmienionym głosem. – To Chichocząca Chata! Spójrz! – Wskazała palcem.

Złe wiedźmy

Miała rację. Tuż przed nami kończył się las, a na jego skraju stała Chichocząca Chata. Obok niej znajdowało się rozwidlenie dróg, na którym miałyśmy czekać na przechodzącego chłopca i zapytać go o imię.

Chata była bardzo stara i opuszczona. Jej dach pokryty był jeszcze strzechą* i zapadał się w kilku miejscach. Niektórzy twierdzili, że mieszkają w niej złe wiedźmy. Dlatego czasem w jej pobliżu słychać jakieś szepty i śmiechy. Wiedziałam, że to bajki, lecz na wszelki wypadek zawsze bardzo szybko przebiegałam obok chaty. A teraz musiałyśmy stać przy niej chwilkę! Może nawet bardzo dłuuugą chwilkę!

– Słyszałam, że nocami krążą tutaj strzygi* i upiory*! – mówiła Lilka półgłosem. Paznokciami wpiła się w moją dłoń tak, że aż mnie zabolało.

– To brednie! – odparłam.

– A wiedźmy? Może jednak tu mieszkają? Ja mam słabe nerwy! – uprzedziła Lilka bojaźliwie.

– Nie ma żadnych wiedźm! – Tupnęłam nogą. – To po prostu stara chata! – przekonywałam i Lilkę, i siebie.

A potem czekałyśmy, aż ktoś wreszcie pojawi się na skrzyżowaniu.

– Lepiej niech szybko przyjdzie, bo robi
mi się zimno! – powiedziałam. Nie zdą-
żyłam jeszcze skończyć, kiedy w leśnym
gąszczu zaczęły poruszać się krzaki!

– To wiedźmy! – wykrzyknęła Lilka
i natychmiast pobiegłyśmy ukryć się za
pobliskim głazem.

Tresowane dziki

Nigdy nie wierzyłam w te wyssane z palca historie o wiedźmach i upiorach. Chociaż, gdy się jest wieczorem samemu w lesie, to można we wszystko uwierzyć! Dlatego ukryte za głazem czekałyśmy na to, co się jeszcze wydarzy.

– Co robimy? – spytała mnie Lilka.

Nie miałam bladego pojęcia, co powinnyśmy zrobić.

Tymczasem z chaszczy dobiegały jakieś szelesty, szepty, pomrukiwanie i jakby chrumkanie.

– Lilka, tam są dziki! – pisnęłam.

Całkiem zapomniałam, że w naszym lesie roi się od dzików! Że też zachciało mi się tej wróżby dla odważnych! Obiecałam sobie, że w przyszłym roku w andrzejki na pewno wystarczy mi zwykłe lanie wosku!

Jednak najgorsze dopiero miało się zacząć…

Gorączkowo zastanawiałyśmy się, jak uciec przed dzikami, gdy raptem w leśnej ciszy przeraźliwie zaskrzypiały drzwi starej chaty!

– Wiedźmy przyleciały! – zaczęła panikować Lilka.

I byłam tym razem skłonna jej uwierzyć. Bo przecież to nie dziki otworzyły sobie

drzwi do chaty. No, chyba że były tresowane. Ale kto widział w lesie tresowane
dziki?!

I miałam rację, to nie były dziki. Z chaty
wyszły trzy… upiory!

– Łuuu, łuuu, łuuu – wyły, aż cierpła
skóra.

Pogromca upiorów

Lilka skamieniała na ich widok. A potem zaczęła przeraźliwie piszczeć. Aż mi uszy puchły. I już nie wiedziałam, co było gorsze: te trzy upiory czy Lilka.

– Ewelina, zrób coś z nimi! Błagam cię! – wrzeszczała i tupała ze strachu.

– Czy ja wyglądam na pogromcę upiorów? – syknęłam zła do Lilki.

Przecież ja tu przyszłam, aby poznać imię przyszłego męża, a nie żeby toczyć walkę z upiorami! Wiem, że miłość wymaga poświęceń, ale to już była lekka przesada!

– Może trzeba powiedzieć jakieś zaklęcie, żeby się ich pozbyć? – zapytała z nadzieją Lilka. Z tych nerwów chyba traciła rozum! Cały czas wpatrywała się w upiory, które wolno sunęły ścieżką i zbliżały się do nas.

– Zaklęcie? Jakie? – prychnęłam zdenerwowana.

– Coś wymyślisz! Jesteś przecież najlepsza w klasie! – odparła Lilka.

– Miło, że mi o tym przypomniałaś – powiedziałam cierpko. – Ale nadprzyrodzonej mocy niestety nie posiadam! Aż taka dobra nie jestem!

– Może musisz tylko trochę potrenować! Nauka dobrze ci idzie! – zachęcała mnie Lilka.

– A może one są jedynie wytworem naszej wyobraźni? I jak zamkniemy oczy, to znikną? – Starałam się znaleźć wyjaśnienie dla tego, co widzimy.

Zacisnęłyśmy mocno powieki, a potem znowu otworzyłyśmy oczy. Jednak upiory wcale nie zniknęły. Były już całkiem bliziutko i wyły okropnie to swoje: „Łuuu, łuuu, łuuu!". Nie miałam zatem wyboru i musiałam sięgnąć po środek ostateczny!

Fiksum dyrdum...

Ułamałam kawałek badyla, wymierzyłam go w upiory i z groźną miną wrzasnęłam, aż echo poniosło się po lesie:

– Fiksum dyrdum tralabumbum upiorum znikum bęc!

Upiory natychmiast znieruchomiały. Lilka zresztą też. Już myślałam, że ją także poraziły moje czary, ale w końcu oprzytomniała i wyszeptała z uznaniem:

– Niezła jesteś!

Faktycznie, dobrze mi poszło. Byłam z siebie niezwykle dumna!

Jednak upiory zaczęły się jakoś dziwnie trząść i bulgotać. Nie bardzo wiedziałam, jaką moc miało moje zaklęcie, ale objawy były zdumiewające. Wreszcie wszystkie trzy upiorzyska parsknęły wyjątkowo upiornym śmiechem!

– One się wyśmiewają z twojego zaklęcia! – wyjąkała Lilka.

Naraz wszystko wydało mi się bardzo podejrzane! Była tylko jedna osoba, która śmiała się w taki bulgocący sposób...

– Adrian! – wrzasnęłam z wściekłością. A potem zdarłam białe prześcieradła z głowy Adriana, Zbyszka i Oskara.

No tak! Mogłam się tego od razu domyślić.

Chłopaki pokładali się ze śmiechu, a my z Lilką byłyśmy złe jak osy. I gdybym tylko miała żądło, to bym porządnie użądliła Adriana. Byłam pewna, że to on wymyślił całą tę maskaradę*!

– Co wy tu robicie?! – krzyczałam na nich.

– Chcieliśmy was tylko trochę nastraszyć. Żebyście się nie nudziły w trakcie czekania na tych waszych przyszłych mężów – tłumaczył Adrian.

– No rzeczywiście, na nudę nie mogłyśmy narzekać – burknęłam.

Okazało się, że chłopcy całą drogę szli za nami. To dlatego słyszałyśmy te wszystkie szepty, trzaskanie gałązek i skrzypienie drzwi Chichoczącej Chaty. Już bym wolała, żeby to były tresowane dziki niż oni!

– I jak tam wasza wróżba? – zapytał Adrian wesoło. – Znasz już imię swojego przyszłego męża? – zwrócił się do mnie kpiąco.

– Jeszcze nie – odparłam. – A ty jak masz na imię? – zapytałam z miną słodkiego niewiniątka.

– No coś ty! Ze strachu zapomniałaś? Adrian przecież! – odparł.

– No to już znam swojego przyszłego męża! – obwieściłam z triumfem. – Może to ty nim będziesz! Zobacz! – rzekłam i zatoczyłam ręką szeroki łuk.

Adrian stał dokładnie na środku skrzyżowania! Tak, jak nakazywała andrzejkowa wróżba.

– Ja twoim mężem?! – Adrian przeraził się, jakby zobaczył całe stado upiorów.

A potem zaczął zmykać, aż suche liście furkotały za jego piętami. Zbyszek i Oskar poszli w jego ślady. A my z Lilką śmiałyśmy się jeszcze długo i serdecznie, zanim wolno ruszyłyśmy do domu.

Słowniczek
młodego czytelnika

brak komuś piątej klepki – ktoś głupi,
nierozgarnięty

kuksali się – szturchali się

maskarada – zabawa, której uczestnicy
są przebrani

robić maślane oczy – patrzeć zakochanym
wzrokiem, wpatrywać się w kogoś ze
słodką miną

strzecha – dach kryty słomą lub trzciną

strzyga – zjawa, widmo

upiór – zmarły, który straszy
żywych swoim wyglądem

Zadanie 1

Poznaj wróżby andrzejkowe. Rozwiąż krzyżówkę.

1. Lany przez klucz
2. Wystawiane przez panny za próg
3. Wyciągana rano spod poduszki
   z imieniem ukochanego
4. Z jabłka rzucane za siebie
5. 7 lub 13 wyrzuconych z kubka na obrus
   tworzyły litery

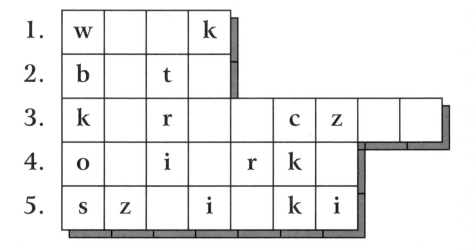

1.	w			k				
2.	b		t					
3.	k		r		c	z		
4.	o		i		r	k		
5.	s	z		i		k	i	

Zadanie 2

Zaproś przyjaciół na wspólną andrzejkową zabawę i wróżby. Ustaw obok siebie 4 kubki (nie mogą być przezroczyste). Ukryj pod nimi: obrączkę, różaniec i monetę, tak żeby pozostali uczestnicy zabawy nie widzieli, co się znajduje pod którym kubkiem. Jeden kubek zostaw pusty. Pierwszy uczestnik zabawy wskazuje wybrany przez siebie kubek. Wylosowana rzecz oznacza:

obrączka – zamążpójście

różaniec – pójście do klasztoru, zakonu

moneta – bogactwo

pusty kubek – staropanieństwo

Przed kolejną osobą zmień ustawienie kubków.